c o l l

L'HEURE PLAISIR
Tic·Tac

▼

Romans jeunesse

Éditions HRW
Groupe Éducalivres inc.
955, rue Bergar
Laval (Québec) H7L 4Z6
Téléphone : (514) 334-8466
Télécopieur : (514) 334-8387

L'HEURE PLAISIR Tic•Tac

Le Cristal magique

▼

Jacques Plante

Le Cristal magique
Plante, Jacques
Collection L'Heure Plaisir Tic•Tac

Directeur de la collection: Yves Lizotte
Illustrations: Yves Boudreau
Illustration de la couverture: Isabelle Langevin

© 1995, **Éditions HRW** ■ Groupe Éducalivres inc.
Tous droits réservés

L'Éditeur vous remercie de ne pas reproduire les pages de cet ouvrage.
Le respect de cette recommandation encouragera les auteures et auteurs à poursuivre leur œuvre. La présente publication n'apparaît pas au répertoire des œuvres admissibles à la photocopie de l'UNEQ (Union des écrivaines et écrivains québécois) et des établissements d'enseignement du Québec; il est donc illégal de reproduire une partie quelconque de cette publication sans l'autorisation de la maison d'édition. La reproduction de cet ouvrage, par n'importe quel procédé, sera considérée comme une violation du copyright.

ISBN 0-03-926976-0
Dépôt légal – 2ᵉ trimestre
Bibliothèque nationale du Québec, 1995
Bibliothèque nationale du Canada, 1995

Imprimé au Canada
1 2 3 4 H 98 97 96 95

Table des chapitres

▼

Liste des personnages de ce récit

▼

Au besoin, consulte cette liste pour retrouver l'identité d'un personnage.

Personnages principaux :

Maude :   l'héroïne de l'histoire.
              Elle collectionne
              les papillons.

Étienne :   le meilleur ami
              de Maude.

Personnages secondaires :

Le Maître des rêves :
              il a le pouvoir de
              réaliser les rêves.

Le sergent Roussel :
              le fin limier de
              l'histoire.

François : le père de Maude.

Élise :   la mère d'Étienne.

Julien: le frère de Maude.

Jupiter: le chien qui mange n'importe quoi.

Philippe: une victime des rêves.

M. Paquin: une autre victime.

La grand-mère: une victime elle aussi.

Arnaud: il aime bien rêver.

L'Artisan des rêves

L'Inventrice des rêves

Les moutons

Chapitre 1

Le cristal des rêves

La caverne est immense et sombre.
Un feu danse au milieu, éclairant à
peine la paroi rocheuse. Un homme se
tient près d'une grosse marmite. Il y
plonge ses mains. Maude s'approche
lentement. Elle veut lui parler. Elle
sent une présence, se retourne. Un
affreux visage blanc au long nez
crochu s'élance vers elle en poussant
un grand cri.

Wouiiiiiiiiiiiiiiiin...

En se réveillant, Maude reconnaît le son familier du mélangeur. Son père prépare le petit déjeuner.

Elle a oublié son rêve avant que le mélangeur s'arrête. Elle se lève et s'habille rapidement. Avant de descendre à la cuisine, elle passe par la salle de bains.

François, son père, prend son café en lisant une lettre. Julien, le petit frère de Maude, souffle dans son verre avec sa paille.

– Bonjour!

– Bonjour Maude! Sers-toi à déjeuner, lui dit son père en désignant le pot du mélangeur.

– Qu'est-ce que tu lis?

– Une lettre de ta grand-mère, répond François en lui tendant une coupure de journal. Tiens, lis, ça va t'intéresser! Elle nous invite chez elle pour la fin de semaine. On pourrait aller voir cette exposition et en profiter pour se baigner. On n'est pas allés à Ottawa depuis le printemps passé.

Maude prend le bout de journal et le lit à haute voix :

– Exposition itinérante de papillons, du 1er juin au 30 septembre, Musée d'histoire naturelle, Ottawa. À voir absolument. Plus de 150 spécimens rares provenant de la Malaisie, de l'Indonésie, du Pérou, du Mexique, de la Nouvelle-Guinée, etc. J'aimerais bien y aller... Je rêve de voir des papillons étrangers depuis tellement longtemps ! Est-ce qu'on peut emmener Étienne ?

– Si tu veux ! Mais téléphone à ta grand-mère pour l'avertir. Si on lui fait la surprise d'arriver avec quelqu'un qu'elle ne connaît pas, elle va s'énerver. N'oublie pas qu'elle a le cœur fragile.

– Je vais l'appeler tout de suite !

– Dis-lui qu'on sera là samedi midi.

Julien repousse son verre vide et s'exclame :

– Il ne faut pas oublier les maillots de bain pour se baigner dans la piscine olympique de grand-mère !

***

– Qu'est-ce que tu lis, Maude ? demande Étienne.

– *L'Usine des rêves.*

– À quelle page es-tu rendue ?

– Euh... 28 !

– Hah ! 34 ! Je lis plus vite que toi, Maude !

– C'est écrit plus gros dans ton livre ! Dans tous les livres des Éditions du songe, les mots sont écrits plus gros.

– Non, non, non, ma chère, dit Étienne en riant. Je lis plus vite que toi.

– De toute façon, l'important c'est

de comprendre ce qu'on lit!

– Oui, mais quand on a fini, on peut passer à un autre livre!

– Qu'est-ce qui vaut mieux? demande Maude en s'appuyant sur les coudes. Profiter d'un bon livre au maximum ou en lire deux sans vraiment comprendre?

– Bla, bla, bla! Moi je me couche, dit Étienne en éteignant la lampe de son casque.

– Moi aussi! réplique Maude en tirant le signet du livre d'Étienne. Tiens, tu as perdu ça!

Étienne prend son signet et le remet dans son livre.

– Je m'en fous... page 34! Bonne nuit!

Ils s'installent confortablement dans leur sac de couchage. Ils sont sous la tente qu'Étienne installe chaque année dans sa cour.

En s'endormant, il pense à sa fin

de semaine à Ottawa. Il imagine la grand-mère de Maude qui vit dans un immeuble de 150 appartements, avec une piscine olympique au sous-sol.

***

La nuit est calme et fraîche. Maude s'endort rapidement. Elle adore rêver. Surtout lorsqu'elle se souvient de ses rêves.

Elle fait des rêves flous... mais tout de même agréables. Un en particulier est très beau. Elle est sur une plage couverte de monarques. À perte de vue. Ils sont de la même couleur que le soleil qui s'enfonce lentement dans la mer. Au fur et à mesure qu'elle marche, les papillons se posent douce-ment sur elle. Et tout redevient flou.

À l'aube, elle sourit en dormant. Et son rêve devient très précis...

Elle se retrouve dans la caverne. Elle y voit des stalactites et des stalag-mites. Ils sont en cristal. Il y a un homme vêtu d'un grand manteau noir et coiffé d'un chapeau à large bord, noir également. Il a un long nez crochu. Son visage est d'une blancheur cadavérique. Ses mains aussi sont blanches. La droite tient un pendule de verre. Il est immobile et de ses grands yeux noirs, il observe l'homme à la marmite. Ce dernier façonne des boules en plongeant ses mains dans du cristal fondu.

Maude s'approche lentement. L'homme au pendule la remarque et lui fait un sourire peu rassurant.

– Excusez-moi monsieur, je voudrais mon cristal des rêves.

L'homme retire ses mains de la marmite. Il les frotte ensemble pour en faire tomber des gouttes de cristal. Il les ramasse délicatement et les dépose dans la marmite.

– Attendez ici, je vais le chercher !

Il s'éloigne et disparaît dans un

coin sombre de la caverne. Maude reste seule avec l'étrange homme au pendule.

– C'est une très bonne idée que vous avez eue de venir ici, lui dit-il. Vous semblez déterminée à réaliser vos rêves.

L'homme, qui est en fait l'Artisan des rêves, revient. Il tend une boule de cristal à Maude. Elle la prend. La boule est chaude. Le cristal est pur, dense. La clarté du feu le fait scintiller.

– Il contient tous vos rêves ! dit l'Artisan des rêves en reprenant son travail. Mais en le sortant du monde des rêves, le Maître des rêves va vous suivre. Il va réaliser tous vos rêves avec son pendule.

– Je ne comprends pas.

Le Maître des rêves s'approche alors. Il sourit à Maude en découvrant de petites dents pointues. Il lève son pendule de façon que Maude l'ait devant les yeux.

– Quand vous ferez un rêve, dit-il de sa voix étrange, mon pendule captera ses vibrations. Et votre rêve se réalisera. Je n'existe que pour ça vous savez. Réaliser les rêves. Je suis le Maître des rêves !

Il éclate de rire et fait quelques pas avant de se retourner vers la jeune fille.

– Tout le monde souhaite voir ses rêves se réaliser. Mais rares sont ceux qui viennent chercher leur cristal des rêves. La plupart des gens croient que les rêves n'existent que dans leur tête. Alors leur souhait ne quitte jamais le monde du rêve. Mais vous, vous faites preuve d'un grand courage en venant ici ! C'est surprenant qu'à votre âge vous décidiez d'assumer vos rêves. C'est ce que vous voulez n'est-ce pas ?

– Je ne sais pas, répond Maude.

– Mais si, vous savez ! dit-il en s'approchant encore. Ne soyez pas rébarbative. Vous aimez beaucoup rêver. Et si vous êtes ici, c'est que vous tenez à ce que vos rêves se réalisent.

– Je ne sais pas, répète Maude en reculant d'un pas.

Le Maître des rêves étend son bras. Son pendule touche presque le visage de Maude. Il se balance doucement.

– Il est trop tard maintenant, vous avez votre cristal des rêves !

En se réveillant, la jeune fille oublie son rêve. Pendant un moment, elle se demande si elle dort encore. Elle sent une chaleur étrange dans sa main. C'est le cristal des rêves qui est là...

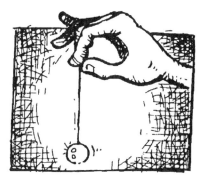

Chapitre 2

Les premiers rêves

Maude ouvre son sac de couchage et s'assoit. C'est sûrement un tour qu'Étienne lui a joué.

– Ne fais pas semblant de dormir ! dit-elle en souriant. Je sais que c'est toi.

– ....

– Arrête, ça ne prend pas ! Qu'est-ce que c'est au juste ? Un cadeau ?

– Hein ?... Quoi ?... Qu'est-ce que

tu fais, Maude ?

Maude lui met la boule de cristal sous le nez.

– Si c'est un cadeau, je te remercie. Mais à quoi ça sert ?

Tout endormi, Étienne prend la boule et l'examine.

– Où as-tu pris ça ?

– Je me suis réveillée avec ça dans la main. Et c'est toi qui l'as mise là !

– Quoi ? Mais pas du tout ! Je t'assure Maude, je dormais !

– Si ce n'est pas toi, c'est qui alors ? s'inquiète Maude. Quelqu'un serait venu dans la tente cette nuit ?

– On aurait entendu le bruit de la fermeture éclair, réplique Étienne. Personne ne pourrait entrer sans qu'on s'en aperçoive.

– Tu as raison ! admet Maude. D'autant plus que cette boule était dans ma main ! Je me serais réveillée si quelqu'un avait ouvert mon sac de couchage... À moins que tu l'aies mise dans mon sac « avant » que je me couche. Et pendant mon sommeil, tu l'as fait glisser !

– Hé ! Pourquoi j'aurais fait ça ? demande Étienne, indigné. Je ne sais pas d'où elle vient ta boule !

Maude pousse un long soupir. Étienne a l'air sincère. Si c'était lui, il n'aurait pas pu s'empêcher de rire.

– Mais alors, qu'est-ce que je fais avec ça ?

– Je ne sais pas, tu peux me croire !

***

Toute la journée, Maude a dû s'occuper de Julien. Son père avait un tas de courses à faire. Elle en a profité pour préparer ses bagages en vue de la fin de semaine à Ottawa. Le départ est pour demain matin.

La boule de cristal demeure toujours un mystère. Des lambeaux de son rêve lui effleurent l'esprit, mais elle n'arrive pas à se souvenir. Seules des images de stalagmites surgissent de son subconscient, de temps à autre.

Maude connaît bien Étienne et elle est sûre qu'il ne ment pas. Ce n'est pas lui qui a mis cette boule dans sa main. Pourtant, personne n'est entré dans la tente. Tout cela est très étrange. La jeune fille se souvient que la boule était brûlante lorsqu'elle s'est réveillée.

Ce soir, elle et Étienne ne dormiront pas dans la tente. Les parents en ont décidé ainsi parce qu'ils partent pour Ottawa demain matin. Les parents ont parfois de ces raisons...

Après s'être brossé les dents, elle monte à sa chambre. Elle se glisse sous les couvertures et prend la boule de cristal sur sa table de chevet. Une boule parfaitement ronde, de la grosseur d'une balle de tennis. Sans une égratignure. À la lumière, elle projette des reflets blancs. Maude la replace près de son réveille-matin. Elle éteint sa lampe et s'endort.

Au début, ses rêves sont courts, imprécis. Soudain, ils deviennent très clairs.

D'abord, Maude rêve qu'elle est dans un grand champ. La boule laisse échapper des volutes de fumée verte, nauséabonde. Ses narines frémissent. Étienne descend du ciel et se pose devant elle, dans le champ. Elle voit d'énormes formes blanches et rondes dispersées un peu partout. Étienne s'approche et lui dit :

– Regarde Maude, il a plu des guimauves géantes.

Maude se retrouve ensuite dans une grande pièce sombre. Des éléphants se promènent debout, avec des appareils photo. Maude s'est transformée en papillon. Enfin, elle peut voler ! Au moment où elle s'élance, un éléphant s'approche pour la photographier. Elle est aveuglée par une lumière éblouissante.

Maude se réveille en sursaut. Elle s'assoit dans son lit. Les rideaux bougent. Sentant un courant d'air frais, elle se lève et avance dans le noir pour fermer sa fenêtre. Elle frissonne de peur. Un homme étrange se tient debout devant chez elle. Il regarde dans sa direction. Son grand manteau noir fait ressortir la blancheur de son visage. Sa main droite tient quelque chose. Il se tourne lentement et s'éloigne. La jeune fille sent son cœur battre. Elle a l'impression de l'avoir déjà vu. Mais elle ne se souvient pas où.

Chapitre 3

Ottawa

– Les voilà ! Salut, maman !

– Bonne fin de semaine, mon grand. Sois sage !

Étienne embrasse sa mère et court embrasser Dragon, son hamster. Il sort avec son casque sur la tête, son sac sur le dos et son appareil photo sur la poitrine.

Maude et Étienne sont assis à l'arrière de la voiture, Julien et François à l'avant. Ils rient et ils crient. François n'arrête pas de faire des blagues. La campagne est belle. Tout va bien !

L'euphorie du départ fait place à des moments plus calmes où chacun réfléchit.

Maude regarde les champs de maïs qui s'étendent à perte de vue. Elle pense à la ville où l'horizon se limite à un mur de briques. Devant ce champ, elle se sent toute petite, comme lorsqu'elle va à la mer.

Soudain, elle remarque une maison de ferme. Dans la cour, des gens sont réunis pour une fête. On a disposé de longues tables. Des enfants s'amusent en épluchant des épis de maïs. Pour les cuire, un homme armé d'une longue fourchette dépose les épis dans une grosse marmite sous laquelle un feu est allumé...

Brusquement, son rêve lui revient !

La caverne, le cristal fondu, le pendule, les stalagmites, les stalactites, l'Artisan des rêves, le Maître des rêves qui était devant chez elle ! Toutes ces images défilent si rapidement ! Elle n'arrive pas à se souvenir de ses paroles. Ni de ce que lui disaient l'Artisan et le Maître des rêves.

Son petit frère l'oblige bientôt à remiser ces images dans un coin de sa mémoire :

– J'ai mal au cœur !

– Attends, Julien ! Je vais arrêter en bordure de la route.

La voiture s'immobilise près d'un champ.

– Tu peux descendre prendre un...

– Eurrr...k ! fait Julien en ouvrant la portière.

Étienne et Maude se précipitent à l'extérieur et s'éloignent rapidement.

– Pouah ! archidégueulasse ! s'écrie

Étienne. Il fait toujours ça, en auto ?

– Pas toujours ! Ce n'est pas grave, ça va passer.

Les enfants s'éloignent de la route. Ils vont s'accouder à la clôture de bois entourant le grand champ de foin.

– Tu as vu dans ce champ, Maude ? Ils enveloppent le foin avec du plastique pour le protéger de la pluie. Le foin doit rester sec, sinon il pourrit !

Maude remarque alors les balles de foin rondes enveloppées dans un grand plastique blanc. Elle a l'air songeur.

– On dirait des guimauves géantes ! s'exclame Étienne en se retournant vers son amie. À quoi penses-tu, Maude ?

– J'ai fait un rêve. Je voyais ce champ. Tu étais là et tu me parlais de guimauves géantes !

– Ah ! ça, c'est un rêve prémonitoire ! dit Étienne. Très intéressant. C'est rare ! Dis, Maude, tu connais la blague du garçon qui rêvait qu'il mangeait une guimauve géante ?

– Non.

– Quand il s'est réveillé, il n'avait plus d'oreiller ! Ah ! ah ! ah ! Tu comprends ? Oh ! Ton père nous appelle. Je crois qu'on peut repartir.

***

En arrivant chez la grand-mère de Maude, tous se mettent en maillot de bain et se précipitent dans la piscine. Maude en profite pour affiner sa technique de brasse papillon tandis qu'Étienne pratique la brasse qu'il appelle « catapulte à injection turbo-splashatoire ». Julien lui, s'exerce à une technique particulière, communément appelée la brasse crise de nerfs. François le retient par le maillot.

Au bout d'une heure de baignade, ils se rendent au parc, près du Musée d'histoire naturelle. Ils choisissent une table juste à côté d'un énorme mammouth... en bois, bien entendu. Ils dévorent le pique-nique que la grand-mère a préparé.

Puis, ils entrent au musée. Le premier étage est consacré aux minéraux. Superbe collection.

– Papa, est-ce que je peux monter au quatrième avec Étienne ? On voudrait voir les papillons !

– Mais Maude, répond son père, il y a trois étages de merveilles à voir avant !

– On les a déjà vus avec l'école l'an passé !

– Bon, d'accord ! Mais vous nous attendez là. Et ne faites pas de folies !

Étienne et Maude se précipitent dans l'escalier.

Ils n'en croient pas leurs yeux. Les papillons sont en parfait état. Maude admire la majorité d'entre eux pour la première fois de sa vie. Des couleurs et des formes ahurissantes. La nature ne se contente pas des couleurs de base.

Il y a toute une gamme de bleus : pervenche, marine, horizon, turquoise, azuré... Toute une palette de verts : bouteille, olive, émeraude, pomme, épinard, jade... Et les rouges : coquelicot, rouge de Chine, rouge de Venise, cerise, sang, groseille, framboise, carmin, rubis, grenat. Et les jaunes aussi. Et les teintes, les motifs : monochrome, polychrome, dégradé, tigré, zébré, pointillé, moiré, bariolé...

Soudain, Maude a une poussée d'adrénaline. Elle vient d'apercevoir un *mesomenia cresus*, de la Guyane française. Il est de toute beauté, avec ses différents tons de bleu, de noir, de blanc, d'orangé, le tout méticuleusement agencé selon des motifs d'une originalité désarmante. Défiant toute imagination.

Une collection à faire rêver...

Après avoir fait le tour plusieurs fois, les enfants se dirigent au fond de la salle d'exposition. On y a aménagé un terrain de jeux avec glissoires, balançoires, etc.

Il y a d'énormes papillons de bois. Ils sont debout et à la place de la tête, on a percé un trou.

– Vas-y, Maude! Passe la tête dans le trou, je prends une photo.

Maude se place en riant.

– Te voilà transformée en Grand Tigré du Canada!

CLIC!

Maude est éblouie par le flash. Son subconscient est soudainement stimulé par cette lumière vive. Son rêve lui revient clairement à l'esprit.

– Maude? Qu'est-ce que tu as?

La jeune fille reste près du papillon, l'air inquiet.

– La boule de cristal, Étienne !

– Quoi ? Qu'est-ce qui te prend ? Tu perds la boule... de cristal ?

– Étienne, c'est sérieux ! Tu te souviens, les guimauves géantes ?

– Oui, tu avais rêvé et...

– Et maintenant... j'ai fait un rêve dans lequel je me transformais en papillon !

– Bon, peut-être, mais les rêves prémonitoires, c'est possible !

– Ce n'est pas tout, Étienne ! Ce matin, dans l'auto, je me suis souvenue d'un autre rêve. Je m'en rappelle très bien maintenant. Je demandais mon cristal des rêves à l'Artisan des rêves. Le Maître des rêves m'a dit qu'il ferait en sorte que mes rêves se réalisent. Grâce à son pendule magique. Et je me suis réveillée avec la boule de cristal dans la main !

– Le Maître des rêves ? Jamais entendu parler, réplique Étienne.

Qu'est-ce qu'il a dit encore ?

– Je crois qu'il a précisé qu'il n'existait que pour réaliser les rêves. Il a ajouté que les gens croient que les rêves n'existent que dans leur tête.

– Ce n'était qu'un rêve !

– Mais mon cristal des rêves, Étienne ! Il est apparu dans ma main... Il contient tous les rêves de ma vie. Je l'ai apporté dans le monde réel. Et le Maître des rêves qui était devant chez moi avec son pendule...

– Tu veux dire qu'il est sorti de ton rêve en même temps que ton cristal des rêves ?

– Oui !

– Mais c'est supercapotant, Maude ! Tu te rends compte ? Ce cristal est magique ! Tes rêves vont se réaliser !

– Qu'est-ce qui va arriver si jamais je fais des cauchemars dégueulasses ?

– Euh !...

– J'ai peur, Étienne !

Chapitre 4

Ça va mal !

Le lendemain soir, Étienne et Maude sont dans la tente. Ils se préparent à se coucher.

Elle est inquiète. Lui ne pense qu'aux infinies possibilités du cristal des rêves. Il a même demandé à Maude d'essayer de rêver que sa mère gagnait à la loterie.

Mais Maude voit les choses autrement. Elle sait qu'elle ne peut pas contrôler ses rêves. Elle a peur de rêver à des catastrophes. Elle ne veut pas avoir la responsabilité des malheurs qui pourraient se produire. D'autant plus que le Maître des rêves ne demande qu'à les réaliser. Catastrophe ou pas, Maude préférerait se débarrasser de son cristal des rêves...

Étienne voit bien que son amie est préoccupée. Elle reste silencieuse et n'a même pas envie de lire en se couchant. Pour la rassurer, il a eu l'idée d'utiliser son petit magnétophone. Celui qui se trouve sur son casque. Grâce à un dispositif ingénieux, il peut enregistrer au ralenti durant toute la nuit. Au cas où Maude parlerait dans son sommeil. Cela leur donnerait des indices permettant de bien comprendre ses rêves. Surtout si elle les oublie.

Pour Maude, le sommeil est long à

venir. Elle n'arrête pas de penser. D'autant plus qu'Étienne fait un bruit infernal. Il ronfle tellement fort que son casque vibre.

***

En se réveillant, le lendemain matin, Étienne arrête le magnéto-phone alors que Maude ouvre les yeux.

– Étienne, ça va mal !

– Ah non ! À quoi as-tu rêvé ?

– Écoutons d'abord l'enregistre-ment, je te raconterai après.

Ils peuvent écouter la cassette en rembobinant la cassette à haute vitesse. Étienne appuie sur le bouton. Presque tout de suite, ils entendent un bruit...

En fronçant les sourcils, Étienne appuie sur le bouton qui met la cas-sette en marche, à vitesse normale.

Tchouc, tchouc, tchouc.

– Ce sont des bruits de pas, Maude !

On les entend s'approcher. Ils s'arrê-
tent quelques secondes et ils s'éloignent! Et d'après le compteur, il y a à
peine quinze minutes!

Les enfants se regardent, les yeux
grands, la bouche ouverte.

– C'est lui! chuchote Maude d'une
voix tremblotante. Le Maître des
rêves!

Étienne sort de la tente, son
casque sur la tête, son appareil photo
à la main.

Tout est tranquille...

– Il n'y a personne, Maude! Si
c'est lui, on l'a raté de peu!

Il remet le magnétophone en
marche, à haute vitesse. Mais ça ne
sert à rien. Maude n'a pas parlé en
rêvant.

– Raconte tes rêves maintenant.

– Il y a deux rêves dont je me
souviens. D'abord, tu sais Philippe
Doyon?

– Oui !

– Dans mon rêve, il livrait ses journaux à bicyclette. Il roulait dans la rue près du parc et en passant près d'un poteau, un transformateur a explosé. Il n'y a pas eu de dégâts, mais le boum a été terrible ! Philippe a perdu le contrôle de sa bicyclette. Il s'est fait frapper par une voiture bleue qui venait en sens inverse.

– Il faut l'avertir !

– Oui, mais comment ? Il va nous croire fous si on lui téléphone pour lui dire ça ! Il faut trouver un moyen de l'empêcher de partir de chez lui.

– Bon, je vais m'en occuper ! Et l'autre rêve, qu'est-ce que c'est ?

– J'ai rêvé que...

Maude se mord la lèvre en regardant Étienne.

– Dis-le, Maude ! On n'a pas beaucoup de temps !

– ... que ma grand-mère mourait !

– Ho la la! File chez toi en vitesse, Maude, et essaie d'avoir des nouvelles! Moi, je m'occupe de Philippe!

***

Maude rentre chez elle alors que son père met la cafetière en marche.

– Tiens, la Belle au Bois Dormant! Tu as fait de beaux rêves?

La question la prend au dépourvu. Elle croit y percevoir une pointe de sarcasme. Comme si son père était au courant de ce qui se passe. Mais Maude se ressaisit en une fraction de seconde. Ce n'est pas le moment de sombrer dans la paranoïa. Ce n'est sans doute qu'une coïncidence. Elle s'assoit au bout de la table.

– Oui, oui! Ici, tout va bien?

– Bien sûr! J'ai dormi comme un loir! Mais tu as l'air fatiguée, toi. Vous vous êtes endormis tard?

– Non, je ne suis pas fatiguée!

– Papa! s'exclame Julien, si tu

veux, je peux aller dormir avec eux dans la tente. Je pourrai les surveiller et voir s'ils se couchent tard !

***

Au même moment, Étienne arrive devant la maison de Philippe. Il a décidé de prendre les grands moyens. Il reste environ cinq minutes avant que Philippe commence la livraison des journaux.

Étienne se faufile près de la maison et se glisse sous la haie de cèdres. Les bicyclettes sont là. Celle de Philippe est mauve.

Il rampe jusqu'au balcon et se cache en dessous. Rien ne bouge. C'est le moment ou jamais...

Étienne s'accroupit près de la bicyclette mauve attachée à l'escalier. Il dégonfle le pneu avant. Et de un !

Il s'approche du pneu arrière et lui fait subir le même sort... Voilà, c'est presque terminé !

Soudain, la porte de la maison s'ouvre.

– Hé! ma bicyclette!

Étienne se relève et se sauve en courant, mais Philippe l'a reconnu!

***

– Julien, arrête! Papa, dis-lui qu'il est trop petit pour dormir dans la tente!

– Non, je ne suis pas trop petit! Vous ne voulez pas que j'aille parce que vous vous couchez tard! Puis, tu as peur que je le dise à papa!

– Bon, bon, bon! Julien, ta sœur est fatiguée. Laisse tomber, veux-tu? Tu dormiras dans une tente avec tes amis quand tu auras l'âge de...

Drrrrrrrrrring!

– Allô!... Ah! Suzanne! Tu téléphones tôt, dis donc!

– ....

– Quoi? Comment est-ce... Oui, c'est ça! Rappelle-moi!

Il raccroche le téléphone et se laisse tomber sur sa chaise.

– Les enfants, votre grand-mère a eu un accident. Un malaise cardiaque... Il semble qu'elle va s'en sortir. C'est le concierge qui l'a trouvée et qui a appelé une ambulance !

Le visage de Maude devient livide. Elle sent ses mains devenir moites...

***

Étienne traverse le parc en courant. Au passage, il a repéré le poteau où se trouve un transformateur. Il pénètre dans la cabine téléphonique. Heureusement qu'il a des pièces de monnaie cachées dans son casque !

– Allô ! Mademoiselle ? Donnez-moi la compagnie d'électricité, s'il vous plaît ! C'est urgent !

– ....

– Allô ! Un transformateur va exploser ! Au parc, à l'angle des rues

Duparc et Belmont !... Non, il VA
exploser ! C'est mon amie qui a rêv...

– ....

– Moi ? Étienne Chamberland, 18,
rue Dumontier. Dépêchez-vous !

Étienne raccroche. Il reste dans la
cabine pour observer. Tout est tranquille.

Au bout de cinq minutes, une
voiture attire son attention. Une
voiture bleue !

Étienne sort de la cabine. Trop
tard !

– Arrêt...

BOUM !

La voiture fait une embardée vers
la gauche et s'arrête avec un crisse-
ment de pneus.

« Heureusement que Philippe
n'était pas là ! » pense Étienne.

Chapitre 5

Étienne et Maude
dans de beaux draps

L'auto bleue est repartie. Étienne retourne chez lui. Il veut téléphoner à Philippe pour lui expliquer qu'en l'empêchant de partir, il lui a sauvé la vie. Et ensuite, appeler Maude pour avoir des nouvelles. Elle va se croire responsable de la mort de sa grand-mère...

« Au fait, elle est responsable !

Non, non, c'est l'intention qui compte ! Maude n'a jamais eu l'intention de faire mourir sa grand-mère. Elle l'aime trop. Donc elle n'est pas coupable, voilà ! »

C'est avec cette pensée en tête qu'il arrive chez lui. Une voiture est stationnée dans l'entrée. Sa mère est sur le pas de la porte.

– Étienne ! Dépêche-toi !

Elle est blême. Il y a un monsieur dans le vestibule.

– Alors, Étienne Chamberland, c'est bien toi ?

– Ou... oui ! bredouille le garçon.

– Je suis le sergent Roussel. C'est bien toi qui as téléphoné à la compagnie d'électricité pour rapporter un court-circuit... ou une panne !

– Oui, c'est moi ! Il fallait bien avertir, non ?

– Bien sûr, bien sûr ! Mais il y a quelque chose que personne ne comprend, Étienne !

– Quoi ?

– Tu as téléphoné AVANT que ça se produise !

Étienne regarde le policier et sa mère à tour de rôle. Comment expliquer ça ?

– Comment expliques-tu ça, Étienne ? demande sa mère, plus blanche que jamais...

– Euh !... c'est le cristal de Maude... Elle a rêvé... mais sa grand-mère... qui... euh !... alors pour « l'esquetristé » de la comp...

Toc, toc, toc ! La porte s'ouvre violemment.

– Étienne Chamberland ! Pourquoi as-tu dégonflé les pneus de ma bicyclette ?

***

Vers midi, Maude téléphone chez Étienne. Elle veut lui annoncer que sa grand-mère est sauvée ! Le plus étrange, c'est que le concierge est allé chez sa grand-mère par erreur. C'est à l'appartement voisin qu'il y avait un tuyau à réparer. Si le concierge ne s'était pas trompé, sa grand-mère serait morte ! Ça prouve qu'il est possible d'empêcher les mauvais rêves de se réaliser !

Mais la mère d'Étienne lui annonce qu'il est trop occupé pour venir au téléphone.

– Ce n'est pas grave, répond Maude. Je le verrai dans la tente ce soir.

– Non, Maude ! réplique Élise fermement. Étienne ne dormira pas dans la tente ce soir. Ni demain soir non plus. On se reparlera plus tard, d'accord ?

– Oui... d'accord.

Maude raccroche. Elle sent bien que quelque chose ne va pas. « Étienne a fait une bêtise, c'est sûr.

À cause de moi en plus ! » pense-t-elle.

Alors, sous prétexte de l'inviter à jouer au tennis, elle appelle Philippe pour voir ce qu'il pourrait lui apprendre. Mais Philippe refuse parce qu'il doit réparer sa bicyclette.

– Qu'est-ce qu'elle a ? demande Maude.

– Étienne Chamberland ! répond Philippe avec mauvaise humeur. Cette espèce de savant fou avec son casque d'astronaute est venu dégonfler mes pneus. J'ai dû livrer mes journaux à pied !

– Il avait peut-être une bonne raison de faire ça, dit Maude.

– Une bonne raison ? explose Philippe. La raison c'est qu'il est débile ! Et ce n'est pas tout ! Quand je suis allé chez lui, il y avait un policier. Étienne a fait sauter un transformateur. En plus, il a téléphoné à la compagnie d'électricité pour dire que c'était lui !

Maude a tout compris...

***

Étienne est retiré de la circulation pour l'instant. Sa mère pense qu'il est en pleine crise d'« adolinquance ». D'autant plus que la police a envoyé une travailleuse sociale pour lui poser des questions... à elle ! Étienne a toujours été bon à l'école. Il est gentil, serviable, intelligent ! Du jour au lendemain, tout bascule. Avant même d'avoir pris son petit déjeuner, il devient vandale.

Quant à ses explications, ça c'est le bouquet ! À chaque question posée, il nage dans une mer de vagues réponses !

***

Le soir, Maude se glisse sous ses couvertures avec son cristal des rêves. Elle le fait tourner dans sa main. « C'est tout de même une bonne chose de savoir qu'on peut empêcher les rêves de se réaliser ! » pense-t-elle.

Mais Étienne a des problèmes. La jeune fille se sent impuissante. Ne sachant ni à qui ni comment expliquèr la situation, elle préfère garder le silence pour le moment. Après tout, Étienne n'a rien fait de mal ! Et puis, elle est là pour l'aider si les choses se compliquent ! Décidément, cette boule de cristal a causé suffisamment d'ennuis. Comment s'en débarrasser ?

Elle a tout juste le temps de cacher le cristal sous la couverture lorsque son père frappe à la porte.

– Je peux entrer, Maude ?

– Oui, oui !

Il s'assoit sur le lit et lui replace doucement une mèche de cheveux.

– Ça va ?

– Hum !...

– Tu sais, la mère d'Étienne m'a

téléphoné... Ça n'a pas l'air de bien aller.

—Je sais papa, mais tu connais Étienne! Ce n'est sûrement pas lui le coupable!

—Pourtant, le jeune Doyon l'a vu et il a porté plainte!

—Étienne avait peut-être une bonne raison!

—Ah ça! peut-être, mais laquelle? Je comprends que quelqu'un puisse poser un geste de ce genre. Lors d'une chicane, par exemple! Au lieu de discuter, certaines personnes préfèrent se venger. Mais ce n'est pas le genre d'Étienne.

—Je sais, répond Maude. C'est pour ça que je dis qu'il avait peut-être une bonne raison.

—Admettons, réplique François. Mais le transformateur qui a sauté! Comment pouvait-il savoir que ça se passerait?... Et toi, Maude, tu euh!...

tu n'as rien fait dans tout ça ? Je veux dire... tu n'étais pas avec lui quand c'est arrivé ?

– ... Non...

C'est ce que son père voulait entendre. Il l'embrasse sur le front et se lève.

– Bonne nuit !

***

Maude prend beaucoup de temps à s'endormir. La porte de sa garde-robe l'énerve. Comme lorsqu'elle était toute petite. Jusqu'à tard dans la nuit, elle la surveille du coin de l'œil. Et à l'aube, elle se met à rêver.

Elle se retrouve au milieu du garage des Dupuis. Il n'y a pas de voiture parce qu'ils sont partis en voyage. Au fond, une grande fenêtre donne sur la cour. Sous la fenêtre, elle voit un établi sur lequel est posé le coussin du chat. Sa nourriture et son bol d'eau juste à côté. Virgule, l'énorme chartreux, arrive dans le garage. Au bas de la porte qui donne sur la cour aussi, il y a une ouverture. Juste pour lui.

Il s'approche de Maude et se frotte sur ses jambes en miaulant. Puis il bondit sur l'établi. En sautant, il renverse le bol d'eau. Le liquide s'infiltre partout. Il pénètre dans la prise de courant qui sert à brancher les outils... Court-circuit!

Maude voudrait essuyer l'eau, mais elle ne parvient pas à bouger.

– Non! crie-t-elle en se réveillant.

Elle bondit hors de son lit sans remarquer que la porte de la garde-robe est entrouverte.

Sans bruit, elle descend et décroche le téléphone. Elle compose le numéro de la caserne des pompiers.

– Allô! fait une voix calme.

– Vite! Il y a un incendie chez les Dupuis, sur la rue Pontbriand, le 24 je crois.

– Nous y allons. Vous êtes dans la maison ?

– Non.

– Est-ce qu'il y a quelqu'un dans cette maison ?

– Non... oui, un chat !

– D'accord, votre nom s'il vous plaît ?

– Maude... Maude Sénécal. Faites vite !

Elle raccroche et monte à sa chambre. Elle s'assoit dans son lit, les genoux repliés sous le menton. Elle se demande si...

– Papa ! Papaaa ! Il y a quelqu'un dans ma chambre !

Elle se précipite dans le couloir et fonce sur son père qui arrive en sens inverse.

– Qu'est-ce qu'il y a ?

– La porte de ma garde-robe ! Elle a bougé !

– Voyons Maude, c'est impossible !

Son père entre dans la chambre. Il se dirige vers la garde-robe.

– Comment veux-tu que quelqu'un HAAAA !

Il est là ! Plus effrayant qu'un cauchemar. Vêtu de son grand manteau noir. Sa main droite tient le pendule. Son grand chapeau noir masque à peine son visage blanc au long nez crochu.

De son étrange voix caverneuse, il déclare :

– Mais je ne suis qu'un rêve.

Sa main blanche aux longs doigts osseux fait un signe. La porte se referme en claquant.

De longues minutes s'écoulent. Maude est restée dans le corridor. Son père reste figé au milieu de la chambre. Le front en sueur, les genoux tremblants.

– So... so... sortez de là !... S'il vous

plaît... Je ne vous ferai pas de mal!

Silence.

– Nous pouvons discuter en... entre adultes. Si vous voulez de l'argent, je vous fais un chèque!

Pas un mot. Le père de Maude prend une grande inspiration, se ressaisit et s'approche lentement. Il tourne la poignée doucement, s'écarte un peu et ouvre la porte d'un coup.

Personne.

***

Quelques minutes plus tard, ils sont à la cuisine avec Julien. François a fouillé la maison de fond en comble.

– Pourtant, je l'ai bien vu! Il a même dit que c'était un rêve! C'est moi qui rêve ou quoi? Je fais changer toutes les serrures ce matin même!

Drrrrrrrring...

Il se lève pour répondre au téléphone.

– Allô!... Oui, je suis son père!

– ....

– Quoi?... Mais comment... QUOI?
Oui, c'est ça! Merci!

Il raccroche et retourne s'asseoir à
la table de la cuisine. Il regarde
Maude.

– Maude, c'était un type du service
des incendies! Il dit que tu as envoyé
les pompiers chez les Dupuis combat-
tre un incendie, mais il n'y avait pas
de feu! Il a retracé notre numéro
parce que son téléphone a un affi-
cheur. C'est une erreur, n'est-ce pas?

Maude ne répond pas. Elle regarde
la table sans bouger. François connaît
bien cette attitude. Il sait qu'il n'y a
pas de dialogue possible. Il se lève et
se dirige vers l'armoire.

– Bon, ça suffit! dit-il en riant
jaune. C'est trop pour moi! Je rêve!
Je vais faire du café pour me ré-
veiller. On va déjeuner et on reparlera
de tout ça plus tard. D'accord?

Julien, qu'est-ce que tu as le goût de manger ?

Seul Julien réussit à avaler quelque chose. En se demandant d'ailleurs ce qui se passe.

– Pourquoi vous avez l'air en chicane ? J'ai fait quelque chose ?

– Mais non, Julien, répond son père. Tu...

Ding, dong !

François va ouvrir.

– Monsieur Sénécal ?

– Oui, c'est moi !

– Je suis le sergent Roussel, reprend le monsieur, essoufflé. Votre fille a rapporté un incendie. C'est très bien ! Seulement, elle a téléphoné trente minutes avant que l'incendie se déclare. Selon toute logique, je dois déduire que c'est elle qui a mis le feu ! Ou du moins, qu'elle connaît le ou les coupables. Pourtant, l'expert est catégorique. Le feu a été allumé par le chat qui a renversé son bol d'eau sur une prise de courant. Alors, comment pouvait-elle savoir ? Je ne comprends plus, moi... C'est la deuxième fois en deux jours que ça m'arrive !

Le père de Maude lui fait un large sourire et lui demande :

– Prendriez-vous un café ?

Chapitre 6

Le truc d'Étienne

Maude a raconté la vérité, ou presque. C'est-à-dire qu'elle a expliqué à son père et au sergent Roussel qu'elle a rêvé. Que c'était des rêves prémonitoires. Qu'Étienne a sauvé la vie de Philippe et aidé la compagnie d'électricité. Qu'elle-même voulait sauver la maison et le chat des Dupuis.

Mais elle n'a pas parlé de son

cristal des rêves. Ni du Maître des rêves. À quoi bon essayer de faire comprendre ça à des adultes.

Pour eux, tout va bien. Tout ça n'était qu'un rêve. Cette petite a sûrement un don. Comme c'est amusant!

Après le troisième café, les deux hommes interrompent une importante discussion sur le match de baseball de la veille. Le sergent doit partir. Il promet de passer chez les Chamberland pour expliquer la situation à la mère d'Étienne.

Le père de Maude appelle un serrurier. Par précaution.

Il a omis volontairement de parler au sergent Roussel de l'intrus de ce matin. De toute façon, ce n'était probablement qu'un rêve puisqu'il n'y avait personne dans la garde-robe. Il monte tout de même à la chambre de sa fille pour vérifier. Il fouille partout encore une fois. Il examine particulièrement la garde-robe. Il palpe les murs, soulève le tapis, scrute le plafond. Il n'y a aucune ouverture. C'était bien un rêve. D'autant plus que le bonhomme l'a avoué lui-même. « Mais je ne suis qu'un rêve » se répète François.

Maude espère que le Maître des rêves n'entrera plus, mais elle n'y croit pas vraiment. Il est probablement « apparu » dans la maison. Guidé par son pendule. Il faut trouver un moyen de se débarrasser du cristal des rêves !

Comme elle a très mal dormi, Maude se sent fatiguée en début d'après-midi. Tandis que son père lave la vaisselle et que Julien suit le serrurier partout, elle s'étend sur le divan, au sous-sol, avec son livre.

Elle ne veut pas s'endormir. Au début, elle a du mal à se concentrer. L'image du Maître des rêves la poursuit. La seule solution pour l'instant serait de ne pas dormir! Elle essaie bien de résister, mais rien à faire. Elle s'endort au bout de trois pages.

Maude dort au moins deux heures. Son sommeil est agité, pas vraiment réparateur. D'autant plus que le Maître des rêves se tient debout près du divan. Son pendule a reçu des vibrations deux fois; il a disparu deux fois. Lorsque Maude se réveille, c'est la panique! Elle a rêvé! Elle sait qu'elle a rêvé, mais à quoi? Elle n'arrive pas à se souvenir.

Drrrrrrrrrring!

– Maude, c'est pour toi! lui lance son père du haut de l'escalier. C'est Étienne!

Maude décroche l'appareil du sous-sol.

– Allô! Étienne? Attends une seconde, veux-tu? Papa, tu peux raccrocher!... Bon, Étienne, je pensais justement à t'appeler. Je viens de rêver, mais j'ai oublié. Tout ce que je sais, c'est qu'un des rêves concerne ta mère. On aurait dit qu'elle devenait folle !

– Hein ? Il faudra que je la surveille. Pourtant, ça va mieux ici !

– Je me trompe peut-être, c'est très vague dans ma tête. L'autre rêve m'échappe complètement ! Dire que le Maître des rêves va tout réaliser sans qu'on puisse intervenir !

– Hoyoyoye ! Fais un effort, rendors-toi ! Je ne sais pas ! Mais avant il faut que je te dise : D'abord ici les choses s'arrangent bien. Ma mère a arrêté de faire sa dépression après que le sergent Roussel est venu lui parler. Elle n'est pas en train de devenir folle, au contraire ! Et aussi, j'ai su pour la maison des Dupuis. C'est archicapotant !

– Oui, je leur ai dit que j'avais rêvé

et ils croient que j'ai un don.

– Hé ! Maude, j'ai peut-être un moyen de déjouer le Maître des rêves !

– Ah oui ! Qu'est-ce que c'est ?

– Voilà ! Il utilise un pendule n'est-ce pas ? Et un pendule fonctionne en recevant des vibrations ! Alors, il faut empêcher ton cristal des rêves d'émettre des vibrations !

– Comment on fait ça ?

– Avec de l'aluminium, ma chère ! annonce Étienne fièrement. Je ne peux pas tout t'expliquer. Depuis hier, j'ai le nez fourré dans un bouquin qui parle de radiesthésie. Normalement, si tu enveloppes ton cristal des rêves dans du papier d'aluminium, le pendule ne recevra pas de vibrations !

– Je vais essayer ce soir. On verra bien !

– Qu'est-ce qu'on va faire pour les rêves oubliés, Maude ?

– Je ne sais pas. On peut rien faire, sinon attendre et espérer...

***

Le soir, Maude s'installe dans sa chambre. Elle recouvre son cristal des rêves avec le papier d'aluminium qu'elle a trouvé dans l'armoire. Elle déchire trois ou quatre feuilles et enveloppe la boule le plus hermétiquement possible. Elle la tapote comme une balle de neige. Pour que le métal s'étende le plus uniformément possible sur la boule. Pour qu'il n'y ait pas de trous. Pour que les vibrations ne s'échappent pas!

Ensuite, elle se rend au sous-sol. Elle cache son cristal des rêves au fond d'un coffre de vieux jouets. Et elle remonte à sa chambre.

Elle se glisse dans son lit, confiante que le truc d'Étienne fonctionnera. D'après lui, l'important c'est d'y croire, comme à la radiesthésie.

Depuis qu'elle a rapporté son cristal des rêves dans le monde réel, son sommeil a toujours été un peu perturbé. Mais ce soir, elle se sent rassurée. Sans même un regard à la porte de sa garde-robe, elle s'endort. Comme un ours. Comme un bébé. Comme un bébé ours!

**

Cette nuit-là, le Maître des rêves est très loin. Assis sur un banc dans un parc, il regarde son pendule. Ça ne fonctionne pas. Le pendule de verre est devenu terne. Il ne reçoit aucune vibration...

**

Comme Maude adore rêver, elle s'en donne à cœur joie. En plus de sourire en dormant, elle parle :

– ... Prends... ma main... Étienne...

Chapitre 7

Un petit oubli

Maude et Étienne marchent lentement. Ils se tiennent par la main.
Devant eux, les nuages s'ouvrent
pour leur indiquer le chemin. Ils
marchent sur une immensité de verre
pure, bleu roi.

Soudain, ils entendent le tonnerre.
Une énorme boule de cristal vient
vers eux.

C'est elle, en roulant sur la surface

de verre, qui produit le son du tonnerre.

Elle s'approche de plus en plus. Les enfants l'attendent sans bouger. La boule de cristal roule sur eux. Mais au lieu de les écraser, ils se retrouvent à l'intérieur.

Une femme est là. Il fait sombre. Elle est assise dans un grand fauteuil de calcédoine polie.

De chaque côté du fauteuil, il y a un panier à moitié rempli de cristaux des rêves. De sa main gauche, la femme prend une boule, l'approche de son visage et souffle doucement dessus. De sa bouche sort une minuscule constellation d'étoiles microscopiques. Chaque étoile est un rêve. Elles flottent dans l'air un court instant et pénètrent dans le cristal des rêves.

Alors, la femme dépose la boule de cristal dans l'autre panier.

– Je voudrais remettre mon cristal des rêves, dit Maude en s'approchant.

– Ce n'est pas ici qu'il faut le rapporter, lui affirme la femme d'une voix flûtée. Moi, je suis l'Inventrice des rêves.

– Qu'est-ce que ça signifie ?

– C'est moi qui invente tous les rêves que font les gens ! Ensuite, je les introduis dans le cristal des rêves confectionné par l'Artisan des rêves. Il en fait un pour chaque bébé qui vient au monde !

– Quoi ? Supercapotant ! Acceptez-vous les demandes spéciales ? J'aimerais bien que ma mère...

– Non, Étienne, l'interrompt la femme. Ce ne serait pas juste.

– Mais où dois-je le rapporter ? intervient Maude.

– Tu dois le remettre à l'Artisan des rêves.

– Où est-il ?

– Dans sa caverne. Pour t'y rendre, tu as besoin de l'alêne du mouton cordonnier.

– La laine du mouton cordonnier ? reprend Maude.

– L'haleine du mouton cordonnier ? répète Étienne.

– Mais non ! dit doucement la femme. Son a-lê-ne, son outil de cordonnier. Il vous la faudra pour transpercer votre bulle de voyage. Continuez votre route. Vous trouverez le mouton cordonnier près de la clôture.

L'énorme boule de verre repart en faisant gronder le tonnerre. Maude et Étienne se retrouvent sur l'immensité de verre bleu roi.

Ils n'ont pas à marcher très longtemps. Ils arrivent bientôt devant une petite clôture blanche posée sur le verre. Des moutons ronds comme des balles de laine sautent par-dessus la clôture. L'un après l'autre. La file de moutons semble infinie. Ils sortent d'un nuage, sautent et disparaissent dans le nuage de l'autre côté. Maude et Étienne voient ainsi passer la brebis musicienne avec son violon, suivie du mouton menuisier avec son marteau, suivi de la brebis peintre, du cuisinier, du professeur, de la policière, du cordonnier, du…

– Mouton cordonnier ! Attendez ! s'écrie Maude.

Le mouton saute par-dessus la clôture et s'arrête près d'eux. Il porte un grand tablier de cuir. Il tient son alêne à la main.

– Oui ! dit-il.

– Qu'est-ce que vous faites ? demande Étienne.

– Nous endormons les petits enfants qui nous comptent !

– Vous n'arrêtez jamais ?

– Non, nous ne pouvons pas ! Il y a toujours des enfants à endormir quelque part !

– Nous voulons emprunter votre alêne, s'il vous plaît ! dit Maude.

– Oui, je suis au courant ! affirme le mouton cordonnier en tendant l'outil à Maude. Prenez-la ! Le mouton souffleur de bulles va vous souffler une bulle pour descendre à la caverne de l'Artisan des rêves. Quand vous serez arrivés, piquez-la avec mon alêne pour la faire éclater. Maintenant, attendez-le. Il ne doit pas être loin derrière. Excusez-moi, je dois repartir !

Il sort un marteau de la poche de son tablier et retourne dans la file de moutons. Les enfants attendent le mouton souffleur de bulles.

... Le mouton écrivain, la brebis avocate, l'électricien, l'arroseur avec son fusil à eau, le notaire, le coiffeur, le pompier, la magicienne, le souffleur de...

– Attendez, s'il vous plaît !

– Ah ! C'est vous ! Je suis au courant ! Je vous fabrique la plus belle bulle que vous ayez jamais vue ! Pointez l'index et touchez la bulle !

Le mouton prend du savon dans son verre et souffle dans l'anneau. Les enfants tendent le bras pour toucher la bulle. Au fur et à mesure qu'elle grossit, elle entoure les enfants. Lorsque le mouton arrête de souffler, Étienne et Maude se trouvent à l'intérieur.

– Bon voyage !

Il pousse la bulle qui se met à rouler sur le verre. En pénétrant dans un cumulus, elle tombe dans le vide.

***

Peu après, ils traversent une épaisse couche de cumulo-nimbus. C'est la nuit, mais les enfants distinguent assez bien les contours de la terre. Ils se dirigent vers ce qui leur paraît une immense surface noire tachetée de blanc. On dirait des moutons.

– C'est la mer! s'exclame Étienne.

Le vent les pousse d'un côté et de l'autre. On dirait qu'Éole, le dieu des Vents, valse avec la bulle. À la dernière mesure, elle fait un piqué.

Ils flottent un instant avant de s'enfoncer lentement dans l'eau. C'est le royaume de la tranquillité. De magnifiques poissons tournent autour d'eux. Plus ils descendent, plus les poissons sont étranges. La clarté de la lune leur permet de voir que le fond est tout en sable. La bulle s'y pose doucement avant de s'y frayer un chemin.

– Regarde, Étienne! On dirait un aquarium!

Sur le sable, il y a un immense cube de verre. Un gros poisson tient son nez collé contre l'une des parois.

Il regarde des gens marcher de long en large à l'intérieur.

Soudain, leur vision est troublée. La bulle s'est enfoncée dans le sable. De temps à autre, un insecte étrange vient se coller à la paroi. Il regarde les enfants un instant et disparaît dans le sable. La bulle continue sa descente jusqu'à ce qu'une lueur apparaisse sous les pieds des enfants.

La bulle ralentit. Elle reste suspendue entre deux eaux. Une faible lumière bleue éclaire une grande caverne. De gros poissons vont et viennent suivis par des nuées de bébés poissons. On dirait une véritable pouponnière marine.

Sans que les enfants s'en rendent compte, la bulle s'enfonce dans le roc. Tout devient obscur. Le temps semble s'arrêter pendant quelques secondes. Plus rien ne bouge.

– Nous sommes peut-être arrivés,

fait remarquer Étienne.

Avec l'alêne du mouton cordonnier, Maude perce la bulle... Pop! La chaleur d'un feu les enveloppe. Maude reconnaît l'Artisan des rêves près de sa marmite. Il façonne des boules de cristal. Les deux amis s'approchent de lui.

–Je veux vous remettre mon cristal des rêves, déclare Maude.

–Oui, je sais, mais vous l'avez oublié!

Maude et Étienne se regardent. Est-ce possible? Maude a laissé son cristal des rêves dans le coffre à jouets.

–Comment pourrons-nous revenir? s'inquiète la jeune fille.

–Vous n'aurez qu'à rêver que vous êtes ici avec votre cristal des rêves!

–Mais l'Inventrice des rêves, les moutons, la mer et tout?

–Ah là! vous avez rêvé! Vous aimez bien rêver, n'est-ce pas?

Chapitre 8

La foire de M. Paquin

Ce matin, le sergent Roussel est au volant de sa voiture. Il répond à l'appel d'un fou, sûrement. Pourtant, M. Paquin a toujours été sain d'esprit.

En approchant, le sergent aperçoit une grande roue. Juste au-dessus des arbres en bordure de la ville.

Auparavant, M. Paquin était

cultivateur. Quand il a pris sa retraite, il a vendu sa terre, mais il a conservé un champ près de sa maison. Pour y faire pousser le meilleur maïs en ville. Lorsque le sergent Roussel arrive, M. Paquin est au bord des larmes, au bord du désespoir, au bord de son champ. Le policier descend de sa voiture. Il n'en croit pas ses yeux.

En le voyant, M. Paquin se précipite vers lui.

– Il y a deux jours à peine, c'était un champ de maïs. Mon champ de maïs! dit-il au sergent. Je passe deux jours en visite chez ma sœur, j'arrive ce matin, et voilà!

À la place du champ de maïs, c'est la foire. La vraie. Il y a une grande roue, des montagnes russes, un bateau pirate pour les tout-petits, des autos tamponneuses, une maison hantée, des kiosques de barbe à papa de toutes les couleurs, un petit casse-croûte, tout est là ! Tout est prêt ! On a l'impression que des gens vont arriver d'une minute à l'autre. Soit pour travailler, soit pour s'amuser !

– Quand j'étais cadet à l'école de police, déclare le sergent Roussel, on ne m'a jamais parlé d'une chose pareille. Ça fait trente ans que je suis policier. Je n'ai jamais rien vu de semblable !

Des curieux commencent à arriver. Trois jeunes à bicyclette s'approchent. L'un d'eux tire la manche de l'ex-cultivateur.

– Monsieur Paquin, dit-il, combien ça coûte pour entrer ?

M. Paquin se tourne vers le sergent.

– C'est une blague, n'est-ce pas, sergent ? Dites-moi que je rêve !

***

Peu après, le sergent Roussel roule en voiture. « Je rêve... Je rêve »

pense-t-il. Il se rend chez les Sénécal et sonne à la porte. Le père de Maude ouvre.

– Sergent Roussel, comment allez-vous ?

– Bonjour ! Je vais bien. Je crois ! Votre fille est-elle là ? Je voudrais lui poser une question.

– Non, elle est allée déjeuner chez son ami Étienne ! Mais entrez donc, vous prendrez bien un café n'est-ce pas ?

– Euh... d'accord ! Écoutez, j'ai bien réfléchi à tout ça et... je ne sais pas trop... enfin... voilà ! Votre fille fait des rêves prémonitoires, semble-t-il.

– Oui, elle semble même avoir un don, comme vous le savez !

– Oui, mais... comment vous dire ? Elle rêve à des choses qui peuvent se produire après... parce que ce sont des choses... possibles !

– Bien sûr !

– Dans ce cas, je ne m'explique pas comment le champ de maïs de M. Paquin peut avoir été transformé en foire.

– Quoi ? Comment est-ce possible ?

– Voilà, c'est impossible justement ! Alors, j'ai pensé à votre fille. Analysons le phénomène différemment. Suivez-moi bien : si au lieu de rêver à des événements qui vont se produire, les événements se produisaient parce que Maude les a rêvés !

– Vous voulez dire que, par ses rêves, Maude provoquerait les événements au lieu de les deviner ?

– Je n'affirme rien, je suppose, explique le sergent Roussel. Prenez, par exemple, le feu chez les Dupuis. Il se serait déclaré de toute façon. Mais votre fille l'a « deviné » avant.

– Oui, c'est un rêve prémonitoire !

– D'accord ! Mais la foire, vous rendez-vous compte qu'elle est tout

simplement apparue ? C'est physique-
ment impossible !

***

Maude et Étienne sont assis dans
la cour. Elle a raconté son rêve à
Étienne.

– Donc, si tu rêves que tu rap-
portes ton cristal des rêves à l'Artisan
des rêves, le problème est réglé !

– Je crois bien que oui, dit Maude.
Mais je ne contrôle pas mes rêves.
Alors, ça peut être long !

– Peut-être que tu devrais dormir
avec la boule dans ta main. Ça
aiderait, j'en suis sûr !

Tandis qu'ils sont là à réfléchir,
Élise arrive.

– Dites, les enfants, vous êtes au
courant pour la nouvelle foire ?

– La foire ! s'exclament-ils en
chœur.

– Oui, poursuit-elle en s'assoyant.
M. Paquin, vous savez, celui qui vend

du maïs tous les étés? Eh bien! il a fait construire une foire dans son champ! C'est surprenant que vous ne le sachiez pas!

Étienne et Maude se regardent. Ils ont les yeux en points d'interrogation!

– Maman, est-ce que Maude peut emprunter ta bicyclette? On voudrait aller voir!

– D'accord, mais revenez pour le dîner!

Les enfants enfourchent les bicyclettes et filent chez M. Paquin.

Ce dernier essaie d'expliquer à la foule qu'il n'y a pas de foire. Que c'est une blague. Que ce n'est pas ouvert. Que c'est dangereux. Que... peut-être... la semaine prochaine. Que, non, il n'y a pas de spectacle aquatique. Que c'est un champ de maïs! De blé d'Inde, de blé d'Inde!

Maude et Étienne se sont arrêtés sur le bord de la route.

– C'est génial! s'écrie Étienne. C'est un rêve que tu as oublié sans doute?

– J'en suis certaine. Au moins, ça ne fait de mal à personne, sauf à M. Paquin!

– Ne t'en fais pas, Maude! On va trouver un moyen de l'aider!

– Oui, tu as raison, dit Maude. En tout cas, c'est une bonne chose que mon cristal des rêves soit maintenant neutralisé grâce à ton truc.

***

Chez les Sénécal, le sergent Roussel a fini son café et s'apprête à partir.

– Voici mon numéro! Dites à Maude de me téléphoner en fin de journée. Je veux juste lui demander si elle n'aurait pas rêvé à la foire, par hasard.

– Je lui dirai, c'est promis! Bonne journée!

Au même moment, Julien s'amuse avec ses poissons rouges. François frappe à la porte et entre dans la chambre.

– Qu'est-ce que tu fais ? Tu t'amuses avec tes poissons ?

– Oui ! Je mets de la nourriture à un bout pour attirer Gaspard. Puis j'en mets à l'autre bout pour que les autres mangent !

– N'en mets pas trop Julien, tu pourrais les rendre malades !

– Si je ne fais pas ça, Gaspard mange tout ! Les autres n'ont plus rien !

Son père s'approche et regarde les poissons.

– Papa, est-ce que les poissons sont malades en auto ?

– Hum !... je ne crois pas !

– On pourrait les amener à Ottawa ! Pour les mettre dans la piscine olympique de grand-mère !

–Oh! je crois que l'eau de la piscine pourrait les rendre très malades. Il y a beaucoup de chlore dans cette eau!

–S'ils ont la diarrhée, ce n'est pas grave. Ils vivent dans une toilette géante!

Son père regarde les poissons encore un moment avant de redescendre. Pourtant, il ne voit pas la boule de cristal que Julien a placée au fond de l'aquarium. Pour ses poissons. Elle est transparente et pratiquement invisible dans l'eau.

Julien l'a trouvée dans un coffre de vieux jouets au sous-sol.

Chapitre 9

Et ça recommence !

Le soir, Maude est tout de même contente de sa journée. Elle et Étienne ont réussi à parler à M. Paquin. Ils lui ont offert leurs services. Étienne rêve de faire fonctionner un manège. Ils ont essayé de le convaincre d'ouvrir la foire au public. Parce que ça ferait plaisir aux enfants. Puis c'est probablement plus rentable que la vente de maïs. Il a promis d'y réfléchir.

Maude se glisse dans son lit, confiante que tout ira bien. Le truc d'Étienne fonctionne à merveille. Elle a donc amplement le temps de rêver de rapporter son cristal des rêves.

Elle a parlé au sergent Roussel aussi. Elle lui a dit la vérité en évitant bien sûr de parler de son cristal des rêves. «Je regrette, mais si j'ai rêvé à la foire, je ne m'en souviens absolument pas!» lui a-t-elle déclaré.

En pensant à tout ça, elle s'endort, convaincue que son cristal des rêves est en sécurité dans le coffre à jouets.

Tout va bien. Pourtant, sans savoir quoi au juste, quelque chose la tracasse. Une appréhension...

Puis elle se réveille en sursaut! Et si l'Inventrice des rêves avait oublié!...

Si elle avait omis d'inclure dans ses rêves celui qui lui permettra de rapporter le cristal !

***

Près de la porte de la chambre de Julien, une petite lumière éclaire faiblement le couloir. Au milieu de la nuit, le Maître des rêves passe près de la chambre de Maude. Il se poste près de la porte.

Mais la jeune fille est dans les bras de Morphée... et elle rêve !

Elle est à l'entrée du cimetière. Il y a d'autres personnes. Elle marche lentement au milieu de l'allée principale. La nuit est chaude. L'air est lourd. L'atmosphère est chargée. Le silence n'est troublé que par de lointains grondements de tonnerre. Elle pense à l'Inventrice des rêves. Dans son for intérieur, elle la supplie de lui venir en aide. Le tonnerre est précurseur d'orage, de tempête, de cataclysme. Maude le perçoit comme un mauvais présage.

Alors que la pluie se met à tomber, elle regarde l'unique arbre au milieu du cimetière. Entouré de pierres tombales. Un éclair fait ressortir la blancheur des fleurs ornant les tombes.

La pluie tombe de plus belle. Elle rebrousse chemin. Soudain, dans son dos, un fracas terrible. Elle voit les gens une fraction de seconde. Comme si quelqu'un avait pris une photo avec un appareil géant. Aussitôt, ils sont tous transformés en coliades des prés.

L'éclair frappe l'arbre qui s'embrase. La terre tremble. Les pierres tombales bougent !

Maude pousse un cri en se réveillant ! Quelque chose ne va pas. Assise dans son lit, elle se met à pleurer. Son père entre dans la chambre en coup de vent.

— Maude, qu'est-ce qui ne va pas ?

— Papa, il faut appeler le sergent Roussel !

– Quoi ? À trois heures du matin ?
Qu'est-ce qui te prend ?

– Papa ! Appelle-le ! Vite ! Il se
passe quelque chose !

– Voyons, Maude, tu as rêvé ! Ce
n'est qu'un rêve et...

– Papa, fais-moi confiance !

– Bon ! qu'est-ce que je lui dis ?

– D'aller au cimetière ! Il faut y
aller nous aussi !

– Au cimetière ? Maude, tu exa-
gères ! Et Julien ? On ne peut pas le
laisser tout seul ici !

– S'il te plaît ! Fais-moi confiance !
Il se passe quelque chose au cimetière, insiste Maude en pleurant.

***

Le son du tonnerre gronde dans le
ciel noir. Il se rapproche sensiblement
à chaque minute.

– Bon ! Il ne manquait plus que ça !
dit le sergent Roussel. Il commence à
pleuvoir maintenant ! On s'en va ! On

n'a rien à faire ici!

Il se retourne vers le père de Maude.

– Et vous, ne m'offrez pas de café! Il est quatre heures du matin. Quant à toi, Maude, je tiens à te dire que je ne te trouve pas drôle du tout. Tu sais ce que ça coûte de faire venir tous ces policiers dans le cimetière? Pour rien, en plus! Si tu as un don, apprends à l'utiliser! Suis des cours d'onirologie, trouve la clé des songes, je ne sais pas, moi, mais laisse-nous dormir. Allez, vous autres! Venez!

François reste à l'entrée du cimetière. Il se sent pris entre deux feux. D'une part, il se sent ridicule d'avoir écouté Maude. D'autre part, il se rend compte que ça cloche. Sa fille lui cache sûrement quelque chose...

Les portières des voitures de police claquent tandis que Maude s'avance un peu dans l'allée centrale.

Le sergent Roussel retourne à sa voiture en maugréant. Tout à coup, il s'arrête net à quelques pas du véhicule!

– Qu'est-ce que vous faites là, vous?

Tout le monde regarde dans sa direction.

– Mais! C'est notre malfaiteur! s'exclame François.

Le Maître des rêves se tient debout sur le toit de la voiture. Avec son pendule.

– Je ne suis qu'un rêve.

Puis, d'un bond prodigieux, il saute au milieu du cimetière.

La pluie redouble d'intensité. Soudain, un éclair fulgurant taillade les nuages. Il balafre le ciel avec une violence inouïe. L'arbre est frappé de plein fouet. Le tronc se sépare en deux et s'enflamme dans une véritable explosion d'étincelles.

La terre se met à trembler. Tandis que l'arbre brûle, les pierres tombales s'enfoncent dans le sol avec un bruit sourd. Comme d'énormes roches qui s'entrechoquent.

En même temps, la terre au-dessus des tombes se soulève. Les cercueils apparaissent lentement. Certains sont encore en bon état. D'autres sont pourris, troués. Des os se distinguent sous la lumière des éclairs.

La pluie cesse. Plus rien ne bouge. Le jour se lève doucement. Toutes les pierres tombales ont disparu. Le cimetière s'est transformé en champ de cercueils!

Les nuages noirs sont poussés par un vent vivifiant. Le Maître des rêves a disparu. Julien qui dormait dans l'auto s'approche avec son ourson sous le bras.

– Papa,... c'est ça, la nouvelle foire?

Chapitre 10

Julien et Jupiter

Le sergent Roussel a le cerveau comme un volcan. En éruption, bien entendu. Il a communiqué avec le maire. Pour que quelqu'un s'occupe de remettre le cimetière en état. Ensuite, à son bureau, il a demandé d'émettre un avis de recherche. Il est impérieux de mettre la main au collet du témoin principal. Il a dicté lui-même sa description : grand chapeau noir, manteau noir, bottes noires, affreux nez, visage blanc, peut-être dangereux. Le suspect s'exprime en français. Il est probablement fou. Lors de l'interpellation, il a tenté de brouiller les pistes, en déclarant : « Mais je ne suis qu'un rêve. » Il fait des bonds pratiquement impossibles pour un humain... Ah ! j'oubliais ! Il est armé d'un yoyo ou quelque chose du genre.

Après avoir avalé un café en vitesse, il se rend à la librairie.

– Je peux vous aider, monsieur ?

– Je veux acheter tout ce que vous avez sur les rêves ! Prémonitoires et autres ! Je voudrais aussi voir ce que vous avez sur la télékinésie ou toute autre science du même acabit.

***

Le père de Maude, lui, est très inquiet. Pour sa fille évidemment. Il se pose de sérieuses questions.

Pourquoi l'homme au manteau noir était-il au cimetière? Pourquoi était-il dans la garde-robe de Maude le matin du feu chez les Dupuis? Ce n'était pas un rêve!

Le sergent Roussel aurait-il raison de supposer que Maude provoque des événements en rêvant?

Ce matin, François a eu l'idée de la faire voir par un psychologue. Mais il ne sait pas comment aborder le sujet avec elle. Maude est de nature indépendante. De plus, elle très autonome et a l'habitude de régler ses problèmes elle-même. À moins qu'un problème ne lui paraisse vraiment insoluble.

Pour réfléchir, François décide de prendre une grande marche. Julien l'accompagne parce que Maude est allée chez Étienne.

***

– Tu devrais voir le cimetière,

Étienne! dit Maude en pleurant. C'est la pire des catastrophes! Je suis certaine que Julien a trouvé mon cristal des rêves et qu'il l'a développé. Il cherchait probablement un jouet dans le coffre et il a trouvé la boule!

– Arrête de pleurer, Maude! Ce n'est tout de même pas ta faute, répond Étienne pour l'encourager. On va aller chez toi. On va parler à Julien. On verra plus tard ce qu'on peut faire pour réparer les dégâts. Pour le moment, il faut récupérer ton cristal des rêves. Allez, viens!

***

Julien était certain que son père allait faire un détour par le parc. Alors, il a apporté son sac de jouets pour faire des châteaux de sable. Il a aussi apporté la boule de cristal. Pour décorer son superbe château.

Son père a une autre idée. Il se dirige vers la maison du directeur de l'école. Ce dernier connaît bien Maude. Il pourrait sûrement trouver un psychologue qui ferait l'affaire. Ou du moins le conseiller.

– Dis, Julien, ça te plairait de passer chez M. Mercier ? Tu pourrais jouer avec Jupiter !

– Ah oui !

Lorsqu'ils arrivent devant sa maison, M. Mercier est en train de tailler sa haie de cèdres.

– Bonjour ! dit François. Ça va ?

– Bien sûr ! Et vous ?

– Très bien ! Julien aimerait bien dire bonjour à Jupiter ! Il est là ?

– Oui, il est ici ! JUPITER !

Le monstre sort de l'arrière de la maison. Jupiter est un énorme Saint-bernard... É-N-O-R-M-E !

Il arrive en courant et s'assoit devant Julien avec un bout de bois dans la gueule.

– Prends le bâton, Julien, et lancele ! Jupiter va te le rapporter. Il adore ça !

François rejoint M. Mercier tandis que Julien essaie de prendre le bâton. Jupiter ne veut pas lâcher prise. Le petit garçon a beau tirer, rien à faire.

Alors, il a une idée. Il prend la boule de cristal dans son sac et la montre au chien. Jupiter laisse tomber le bâton et s'approche. Julien lance la boule. Le chien s'élance, poursuit la boule. Au moment où il l'attrape dans sa gueule, il culbute. Il se relève en ravalant !

Il déglutit trois ou quatre fois. Ça passe difficilement, mais c'est fait ! Il revient vers Julien et s'assoit devant lui en se pourléchant les babines.

***

En arrivant à la maison, François et Julien trouvent Maude et Étienne assis sur le balcon. Ils se lèvent et vont à leur rencontre.

– Papa, on peut emmener Julien au parc?

– Oui, oui, supplie Julien, tout excité. Je pourrais construire un château avec Étienne.

– Bon, d'accord!

Au parc, les enfants laissent Julien jouer dans le sable quelques minutes. Mine de rien, Maude s'approche.

– Je vais faire une route, d'accord Julien?

– Oui, oui! Jusqu'ici! La porte est ici!

– Julien, tu n'aurais pas trouvé une boule de verre dans le coffre à jouets?

Julien s'arrête et regarde Maude.

– Oui, je l'ai mise dans mon aquarium. Mais elle n'est plus là.

– Elle est à moi, tu sais, reprend Maude gentiment en traçant la route dans le sable. J'aimerais bien la ravoir!

Julien fronce les sourcils et réflé-chit un instant.

– Elle était dans l'aquarium pour amuser Gaspard. Mais elle n'est plus là! Tu peux continuer la route jus-qu'ici!

– Je voudrais la ravoir Julien, c'est très important! insiste Maude. Je te la prêterai, mais dis-moi où tu l'as mise.

Julien s'arrête encore et fixe le château. Puis il jette un coup d'œil à Étienne.

– Je vais vous le dire à une condi-tion. Je veux dormir dans la tente ce soir.

– D'accord, d'accord! s'exclame Étienne. Tu peux dormir au milieu si tu veux! Où est-elle?

– Je vous le dirai demain. En me réveillant demain matin, pas avant!

Chapitre 11

Champignons
de cristal

Julien est l'enfant le plus heureux du monde. Depuis le temps qu'il rêve de dormir dans la tente d'Étienne. Il a d'abord exigé une histoire. Maintenant, il dort dans son sac de couchage. Le casque d'Étienne sur la tête, en écoutant des chants d'oiseaux. Il a ajouté ces deux conditions à la dernière minute. Il a même pensé réclamer un feu de camp et des guimauves. Mais il n'y a ni bois ni allumettes. De toute façon, la loi l'interdit.

– La seule chose à faire, chuchote Maude, c'est de ne pas dormir. Demain matin, il faut envelopper mon cristal des rêves dès qu'on le récupère.

– Oui, mais essaie de te reposer un peu, tu vas être épuisée demain.

Étienne s'installe confortablement, avec son livre. Il s'endort après quelques pages.

Ils ont eu du mal à convaincre les parents de les laisser dormir dans la tente. Avec tout ce qui s'est passé.

Maude a beaucoup insisté pour que François parle à la mère d'Étienne. Quant à ce dernier, il a fait des promesses incroyables pour qu'Élise accepte. Toutefois, ce qui a aidé le plus, c'est l'argument de Julien: pour une fois qu'Étienne et Maude acceptaient qu'il dorme avec eux...

Julien ronfle. Étienne ronfle encore plus fort. C'est ce qui aide Maude à rester éveillée. Finalement, vers trois heures du matin, bercée par le murmure de la pluie fine tombant sur la toile, elle s'endort...

***

Le Maître des rêves se tient debout derrière la tente. Tout à coup, son pendule se met à osciller lentement. Il reçoit des vibrations.

Maude rêve qu'il pleut. Il fait sombre. Elle et Étienne sont dans la fange. À quatre pattes, ils cherchent.

– Archidégueulasse! Ça pue!

L'odeur leur soulève le cœur. Ils cherchent quand même. Ils prennent de la boue, la retournent, la fouillent.

Autour d'eux, d'énormes champignons surgissent de la boue. Ils font un étrange bruit de succion. Ils poussent en quelques secondes et disparaissent en éclatant.

– Étienne, si ça continue, je vais être malade.

La pluie tombe toujours. De plus en plus. Maude se sent mal. Elle relève la tête, laisse la pluie lui rafraîchir le visage et recommence à creuser dans la boue. Soudain, un monstre arrive.

Flic, flac, flic, flac!

– Ah non! pas lui! s'exclame Étienne, les deux mains dans la boue.

Le monstre patauge nonchalamment dans cette gadoue fétide. Il essaie de sentir les champignons, mais ils lui éclatent au visage.

Flic, flac, flic, flac!

Il s'arrête près de Maude. Se place pour faire un besoin. L'odeur est répugnante.

Au même endroit, un superbe champignon se met à pousser. Le chapeau se déploie en faisant un drôle de bruit. Comme un engrenage où se seraient glissés des grains de sable. Maude l'observe avec une moue de dégoût.

Soudain, il éclate ! Il retombe lentement sous forme de gouttes de pluie de cristal.

– Génial ! s'écrie Maude.

***

Peu avant l'aube, Julien se réveille. Il veut faire pipi. Tout endormi, il veut faire comme un vrai campeur !

Sans bruit, il sort de son sac. Il ouvre doucement la fermeture éclair de la tente et se rend derrière. Il fait noir et il pleut. Les yeux à moitié fermés, il fait son pipi... sur les bottes du Maître des rêves.

Maude se réveille. Elle est furieuse. Il ne fallait pas qu'elle s'endorme ! Elle a le visage tout mouillé parce que la tente est mal imperméabilisée.

–JULIEN!... Étienne, Julien est parti!

–Hein!... Quoi?

La porte de la tente s'ouvre.

Bzzzzzzzzzzzzzzzip!

–J'avais besoin de faire pipi. Je suis allé derrière la tente.

Maude se sent soulagée. Son rêve lui revient à l'esprit. Elle se souvient de la boue. De son odeur. Du monstre. Encore une catastrophe qui va probablement se réaliser.

–Julien, où est la boule de cristal?

Il ne répond pas. Il rentre dans son sac et fait mine de se rendormir.

–C'est encore la nuit. Je veux continuer à dormir ici.

–Julien, cette boule est à moi! Tu vas me la donner, sinon je...

–Écoute, Julien, interrompt précipitamment Étienne, tu es un très bon campeur! Mais on a fait un marché. Si tu veux dormir avec nous un autre jour, tu dois le respecter !

– Si vous me laissez dormir ici la nuit prochaine, je vais vous le dire.

– D'ACCORD !

– Jupiter l'a mangée !

***

Si Jupiter a avalé la boule hier midi, il devrait l'évacuer ce matin. Ou aujourd'hui, en tout cas. Les enfants ne veulent toujours pas parler du cristal des rêves. Alors, ils inventent un prétexte pour aller chez M. Mercier.

Vers neuf heures, ils sonnent à sa porte.

– Tiens, quelle surprise ! Maude et Étienne ! Qu'est-ce que vous faites dehors avec cette pluie ?

– Le frère de Maude est venu jouer avec Jupiter hier, explique Étienne. Il prétend avoir vu des vesses-de-loup et des coprins chevelus dans votre gazon...

– ... et comme on fait une recherche

sur les champignons, enchaîne
Maude, on a pensé que vous nous
laisseriez en ramasser quelques-uns.

– Bien sûr, si ça peut vous rendre
service ! Vous avez bien fait de mettre
des imperméables. Même Jupiter ne
veut pas sortir !

Les enfants se regardent. Si
Jupiter ne sort pas...

– Est-ce qu'il fait ses besoins dans
la maison ? s'inquiète Maude.

– Ah non ! pour ça, il n'a pas le
choix, il faut qu'il sorte ! Allez, quand
vous aurez fini, je vous offre un cho-
colat chaud !

Les enfants se mettent à chercher
les besoins de Jupiter, sous la pluie.

Maude en trouve un premier près
de la haie de cèdres. D'après l'odeur,
il date d'hier. Elle tient à vérifier
quand même.

Elle sort la cuillère qu'elle a
apportée et se met à chercher.

– Pouah ! pourquoi faut-il que ça sente si mauvais ?

Étienne en a trouvé un deuxième. Pas de chance. Il est frais de ce matin, mais la boule de cristal n'y est pas. Par contre, il tombe sur des champignons intéressants. Des marasmes d'oréades formant un « rond de sorcières ».

Maude en aperçoit un troisième. Elle commence à le couper en morceaux avec sa cuillère. À sa grande surprise, elle y découvre des bonbons. Mais Jupiter n'a pas appris à les développer avant de les manger.

C'est alors que la porte d'en arrière s'ouvre. Jupiter sort. Il s'approche des enfants et se met à les sentir. Il a l'air de se demander ce qu'ils font là, à quatre pattes dans sa toilette géante.

Il renifle partout. Il s'arrête finalement près de la haie de cèdres et s'installe...

Même à trois mètres, ça pue ! Dès qu'il a fini, il va gratter à la porte pour entrer.

En se bouchant le nez d'une main, Maude plante sa cuillère.

Boing ! Quelque chose de dur !

Le cœur battant, elle se met à gratter avec le bout de la cuillère. Elle en oublie presque l'odeur.

Le visage grimaçant, Maude fait rouler la boule de cristal dans le gazon. La pluie aidant, elle est presque propre en quelques secondes.

– Étienne, je l'ai !

– Génial !

Chapitre 12

Chaque chose
à sa place

Après avoir récupéré son cristal
des rêves, Maude n'a qu'une idée en
tête. Le remettre à l'Artisan des
rêves. Les rêves ne se contrôlent pas,
mais il est peut-être possible de les
provoquer.

C'est ainsi qu'elle a eu l'idée de
l'autosuggestion. Étienne a préparé
une cassette sur laquelle il a

enregistré des mots clés comme arti-san, caverne, remettre. Les mots se répètent à intervalles réguliers. Maude dormira avec les écouteurs sur les oreilles. Pendant son sommeil, les mots clés devraient influencer ses rêves.

***

Caverne... Maude marche dans un tunnel sombre, son cristal des rêves à la main... Artisan... Sous la terre... Remettre... Loin. Le tunnel débouche dans une immense caverne. Elle s'arrête parce qu'il y a de l'eau.

Artisan... Elle ramasse une pierre et la lance dans l'eau. L'eau devient du quartz...

Remettre... Il y a une faible lueur au fond de la caverne. Maude marche sur le quartz. La lueur provient de la lune pénétrant par une fenêtre dans le roc. Elle reconnaît la fenêtre de sa chambre lorsqu'elle était petite.

La fenêtre qui lui faisait si peur dans le noir. À l'époque, elle s'imaginait voir un visage affreux à travers l'un des carreaux...

Elle s'approche pour regarder la lune, mais dès qu'elle se penche, le visage au long nez crochu apparaît!

Maude pousse un grand cri et le plancher de quartz se brise. Elle tombe au fond de la caverne. Elle ne s'est pas fait mal, mais elle a échappé son cristal. Il roule sous la marmite de l'Artisan des rêves!

– Maude! Qu'est-ce qui t'arrive?

Elle se retourne. Étienne est là, près de la marmite. Il a un long nez crochu!

– Je rapporte mon cristal des rêves, répond la jeune fille. Et toi, qu'est-ce que tu fais? Qu'est-ce qui arrive à ton nez?

Étienne paraît surpris.

– Ce n'est pas grave ce nez, assure

l'homme, ce n'est qu'un rêve! Où est votre cristal des rêves?

Maude se précipite sous la marmite. La boule est là. Maude la ramasse. En se relevant, elle constate que tout a disparu!

Le quartz qui s'était brisé sous ses pieds est redevenu lisse. Mais elle est prisonnière, sous le plancher. Tout est noir autour d'elle.

– Maude!... Maude! Réveille-toi!

La jeune fille se réveille. Ça n'a pas marché. Ou plutôt si! Étienne a un long nez crochu!

– Tu as crié! Ça m'a réveillé! À quoi as-tu rêvé?

Il ne se rend pas compte de son nouveau nez.

– Rien de spécial! Euh!... ça va, toi?

– Oui, oui! Pourquoi tu ris? Tu as rêvé à quelque chose de drôle?

– Je crois que oui! Maintenant, il

faut se rendormir. Tiens-moi la main, Étienne. Je veux que tu viennes avec moi si je rêve.

Étienne colle son sac sur celui de Maude. Il remet la cassette au début et s'allonge.

Il prend la main de Maude.

***

– Où faut-il aller ? demande Étienne dont le nez est redevenu normal.

– Remettre mon cristal des rêves, mais je ne sais pas quelle direction choisir.

Maude et Étienne sont dans le désert. C'est la nuit. La lune est pleine. Les dunes de sable forment d'énormes vagues sur lesquelles les enfants grimpent. Pour redescendre de l'autre côté.

Maude s'arrête net au sommet d'une dune.

– Regarde, Étienne !

Devant eux, le sable forme un immense entonnoir.

– Descendons au fond, Maude !

Ils dévalent la pente en courant jusqu'à l'endroit où les grains de sable se rejoignent. Soudain, il se met à pleuvoir. Les gouttes de pluie de cristal s'accumulent rapidement au fond de l'entonnoir. Les enfants se débattent pour éviter d'être ensevelis.

Tout à coup, le sol se dérobe sous leurs pieds. Ils tombent sur une immense montagne de gouttes de cristal et se mettent à débouler comme des pantins. Ils aboutissent finalement sur un plancher de roc.

– Ouf ! Une chance que ce n'était pas des guimauves géantes ! soupire Étienne.

Ils se retrouvent dans une caverne plus grande qu'une montagne. L'amoncellement de gouttes brille devant eux.

Ils entendent un bruit de pas derrière eux. C'est l'Artisan des rêves. Il arrive en portant un grand panier.

– Ah ! c'est vous !

– Oui ! dit Maude. Je vous rapporte mon cristal des rêves.

– Décidément, vous aimez beaucoup rêver vous ! Je n'ai pas le temps de m'occuper de ça maintenant.

Il dépose son panier et se met à le remplir de gouttes de cristal.

– C'est avec ça que vous les fabriquez ? demande Maude.

– Oui ! Laissez-moi travailler ! Si vous voulez remettre le cristal des rêves, c'est par là ! Vous n'avez qu'à le remettre à sa place.

Les enfants pénètrent dans l'ouverture indiquée par l'Artisan des rêves.

Elle débouche dans une caverne encore plus grande. Ronde et tapissée de milliards de boules de cristal étincelantes. C'est de toute beauté.

Les enfants s'avancent au milieu de la caverne.

– C'est fantastique, Maude! C'est ici qu'ils gardent le cristal des rêves de chaque personne sur la terre?

– Regarde! s'exclame Maude en pointant l'index vers une petite tache noire au plafond de la caverne. C'est là que je dois remettre le mien!

– Comment vas-tu faire? C'est haut comme le rocher Percé!

– Je vais voler! J'ai toujours rêvé de voler!

– Ne faites pas ça!

Les enfants se retournent vivement. Le Maître des rêves est là, son pendule à la main. De son étrange voix, il répète :

– Ne faites pas ça! Je réaliserai tous vos rêves!... Tous!

– Non, je ne veux plus que mes rêves se réalisent. Ce n'est pas normal!

– C'est vous-même qui êtes venue ici pour prendre votre cristal des rêves, précise-t-il avec un sourire inquiétant. D'ailleurs, vous rêvez en ce moment. Et j'ai l'intention, que dis-je, le devoir de réaliser votre rêve !

– Non ! Je ne veux pas !

– Mais si ! Vous aimez tellement rêver que vous avez entraîné votre ami ici. Laissez agir mon pendule et vous resterez dans le monde des rêves pour toujours !

Le pendule amorce une douce rotation. Maude s'élance et l'attrape. Elle tend les bras vers le haut et saute.

Elle vole. Étienne la regarde s'élever jusqu'au plafond. Elle replace son cristal des rêves. Mais au moment où elle se retourne, l'affreux visage au long nez crochu se dirige vers elle à toute vitesse.

Wouiiiiiiiiiiiiiinnn !

Le Maître des rêves vole en faisant le bruit du mélangeur. En passant près de Maude, il lui arrache le pendule des mains.

Ils touchent le sol en même temps.

– Vous n'auriez pas dû faire ça. N'oubliez pas que je suis le Maître des rêves. Je pourrais vous suggérer de reprendre votre cristal des rêves. Vous resteriez ici à jamais. Dans le monde réel, vous avez peur des catastrophes. Vous vous inquiétez pour rien !

– Ah oui ? Et ma grand-mère qui a failli mourir ! Et le feu chez les Dupuis ! Et la...

Le Maître des rêves l'interrompt en levant la main.

– Peut-être avez-vous raison, dit-il avec un sourire inquiétant. Je vais donc réaliser votre rêve maintenant. Ainsi, vous ne causerez plus jamais de problèmes dans le monde réel.

Maude s'aperçoit que son cristal des rêves est dans sa main. Elle est affolée. Le pendule commence à bouger lentement.

– Excusez-moi!

Tout le monde se retourne. Le pendule s'arrête. Un petit garçon tout blond, en pyjama, s'approche d'eux. L'index dans la bouche, une énorme chenille en peluche sous le bras.

– Je voudrais mon cristal des rêves... s'il vous plaît!

Le Maître des rêves s'approche lentement de lui.

– Bien sûr! Viens, je vais te montrer...

Il s'apprête à prendre la main du petit garçon.

– Non! s'écrie Maude. Laissez-le!

Étienne attrape Maude par le bras. Il place sa main près de sa bouche et lui chuchote à l'oreille:

– Maude, fais-le disparaître! Rêve

à... je ne sais pas moi, trouve quelque chose! Vite!

Le Maître des rêves se transforme alors en chrysalide. Il se cache dans son manteau comme dans un cocon. Le tissu se déchire de tous côtés. Sortant du manteau, un magnifique *orgema moenas* déploie majestueusement ses ailes. La métamorphose est complétée. Le merveilleux lépidoptère jaune paille, fauve et safran se met à voltiger.

Maude n'a plus son cristal. Elle regarde le plafond. Ils sont tous là, à leur place.

Maude s'approche d'Étienne qui a pris le petit garçon dans ses bras.

– Tu ne sais pas qu'il ne faut jamais partir avec les inconnus toi?

– Allons, Étienne, laisse-le! Comment t'appelles-tu?

– Arnaud! Je voudrais mon cristal des rêves... s'il vous plaît!

118

Deux jours plus tard, Maude et Étienne sont assis dans la cour.

– Si je ramasse assez d'argent à la foire, je m'achète un télescope! déclare Étienne.

– Oui, c'est une bonne idée...

La semaine prochaine, ils commencent à travailler à la foire de M. Paquin. Jusqu'à la fin des vacances. Cette semaine, ils aident à remettre le cimetière en bon état.

Soudain, la porte d'en arrière s'ouvre violemment. La mère d'Étienne sort.

– Étienne! J'ai ga... ga...

Elle rentre dans la maison aussi vite qu'elle en était sortie.

– Qu'est-ce qu'elle a dit? demande Maude.

– J'ai... gaga? Ah non! Ton rêve, Maude! Celui que tu as oublié à moitié!

– Oui... c'est vague dans ma tête.

 119

Je rêvais qu'elle était comme folle! J'espère que...

La porte s'ouvre encore. Élise sort sur le balcon et les regarde avec de grands yeux, l'air ahuri. Les enfants restent bouche bée.

– La lo... la lolo...

– Maman, qu'est-ce que tu as?

Elle descend dans la cour et s'approche d'eux, un bout de papier à la main.

– J'ai gagné!... À la loterie!

Fin